S0-AFB-711

Haut Atlas
l'exil de pierres

Haut Atlas
l'exil de pierres

Chêne/Hachette

photographies Philippe Lafond
texte Tahar Ben Jelloun

A ma mère et à mon père

Maquette Jacques Maillot

Achevé d'imprimer sur les presses
de l'imprimerie Attinger à Neuchâtel
le 10 juin 1986

Photogravure : Atesa/Argraf, Genève

© 1982 Sté Nlle des Éditions du Chêne, Paris
Tous droits réservés
Imprimé en Suisse
ISBN : 2 85 108 302 3
Dépôt légal : 1251/34 0453 0 – septembre 1986

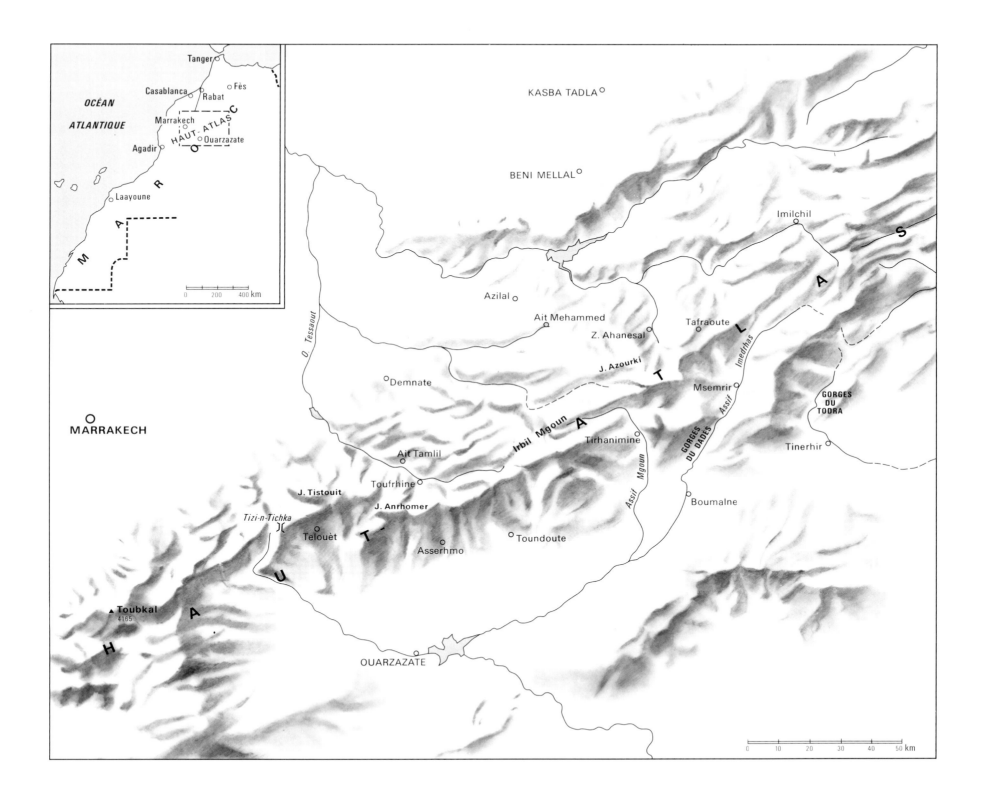

OCÉAN
ATLANTIQUE

Tanger

Casablanca
Rabat
Fès

Marrakech
HAUT-ATLAS
Ouarzazate

Agadir

Laayoune

M   A   R   O   C

0   200   400 km

KASBA TADLA

BENI MELLAL

Imilchil

S

Azilal

Ait Mehammed
Z. Ahanesal

Tafraoute
L
A

Demnate

J. Azourki

T

Msemrir

GORGES
DU
TODRA

O. Tessaout

Irbil Mgoun

A

Tirhanimine

Tinerhir

MARRAKECH

Ait Tamlil

GORGES DU DADES

Assif Imedrhas

Toufrhine

J. Tistouit

J. Anrhomer

Assif Mgoun

Boumalne

Tizi-n-Tichka

Telouèt

T

Toundoute

Asserhmo

U

A

Toubkal
4165

H

OUARZAZATE

0   10   20   30   40   50 km

Le haut du Haut Atlas est une muraille. Elle isole et préserve.

Tantôt rouille, tantôt brune, la terre est pauvre. Elle est muette, fermée sur sa mémoire. Au pied de la montagne, la vie. Une vie quotidienne, rude, simple. Le village est retiré, presque élu par la nature qui le met à l'écart des routes. On n'y accède qu'à dos de mulet, quand la neige ou autre intempérie le permet. Il est replié sur les pierres, les arbustes, les cendres et les hommes.

Et puis le silence.

Entre Ighris et Wawrikt, deux heures de marche.

La vallée est lavée par le vent. Lentement apparaissent les pierres, la roche et les maisons. Les noyers, centenaires, éternels, montrent leurs racines. Elles témoignent. Telle la rigueur d'une durée lente et tout intérieure.

Ici les hommes ne connaissent du reste du pays que la rumeur. Leur solitude les protège et les nourrit. Ils savent que le monde ne s'arrête pas à la muraille mais préfèrent ne pas aller vérifier. Depuis l'arrivée du transistor, ils écoutent les bruits du lointain. Ils rient du bulletin météorologique. Ils connaissent les états du ciel, le sens de la lumière et les présages du soleil.

Dans le regard du vieux patriarche, El Hadj, une lumière déposée par le temps : c'est la présence sereine de l'âme, l'âme d'un peuple resté tout près de la terre, les mains sur la pierre, les mains dans la source. Une humanité qui ne mêle point l'espoir aux paroles du soir.

La vie est ainsi : solitude élue, perpétuelle, soumise à la nature, à la continuité du ciel.

La mort passe par là souvent. Rapide. A la sauvette. Elle fauche des enfants mal nourris ou des mères mal accouchées. L'homme la regarde comme il regarde la tombée de la nuit. Il dit quelques prières et repart aux champs.

Sur le haut plateau du Tarkedit, les sources de la Tessaout. Cette rivière traverse l'Atlas. Un miracle éternel qui donne la vie. C'est l'âme sur laquelle veille la muraille. Un peu plus loin, le sommet du Djebel Anghomer — 3 800 m — est, une fois par an, lieu de prière. Hommes et femmes l'escaladent pour y effectuer un pèlerinage. Ils y sacrifient des moutons, font quelques prières et rendent hommage à la vie. Point de marabout. Le Saint n'est pas enterré là. Seul son souvenir. Il était venu prier sur une pierre.

A Tistouitine, dans la vallé des Aït Oumdis, vit El Hadj. Il a un siècle. Sur ses mains, sur son visage, le temps a laissé des traces belles et profondes. Ses yeux sont fatigués. Ils sont traversés de cette lumière intérieure que la photographie ne saura jamais rendre. Leur beauté est dans la grâce et l'émotion qu'ils portent en eux. Ce corps a vaincu toutes les maladies. Il a résisté aux intempéries et n'a jamais connu l'ennui. Ici, sa seule présence, dans le silence d'un geste à peine esquissé, comme un regard à peine posé, règle les différends ou indique la voie à suivre.C'est parce qu'il a vécu longtemps qu'il parle peu. Il se méfie des mots et préfère citer quelques versets du Coran. Rien n'est capable de le perturber, surtout venant de l'extérieur. Ni la voix de la petite boîte à piles qui parle de la Chine ou de l'ONU, ni l'autorité civile ou militaire qui vient deux ou trois fois par an vérifier l'ordre et les comptes.

Il est un roc de solitude. Fier. Une sagesse acquise par l'âge et la prière.

Lorsque Philippe lui montre des photos de lui et du village, il les regarde à peine.

L'illusion du réel, la prétention de fixer la vie dans un instant, la ressemblance de l'image et de la réalité, l'identité du même, la réduction du village et du visage en une répétition immobile, tout cela ne le trouble point. Futilité.

La réalité est insaisissable. La vue est définitivement imprenable. La vie aussi. Elle est en ce corps menu. Elle est encore plus vive à l'intérieur. Dehors, sur ce corps, sur ce visage, elle envoie des signes. Aux autres de les capter et de les intérioriser de nouveau. La photo est un piètre mensonge.

El Hadj détourne les yeux et regarde le sol.

Les gosses et les jeunes femmes se précipitent sur le paquet de photos. Ils rient et se moquent. Quant ils voient le portrait de Omar, mort il y a quelques mois, les rires cessent. C'est l'étonnement et l'émotion. Omar est presque là, présent parmi la famille. La photo passe de main en main. Des commentaires brefs, puis on regarde le village tel qu'il apparut à Philippe l'hiver dernier. On se souvient de la neige et du veau qui venait de naître. Le veau a grandi mais il est toujours maigre. Il est né la même nuit que Mohammed, à l'étable. La mère, Fatna, avait accouché toute seule. La neige n'avait pas permis à la vieille Radhia, la sage-femme, de venir à temps. Fatna mourut à l'aube. On l'enterra à midi. Le lendemain on célébra la naissance.

Fatna, c'était la femme d'Ahmed. Elle devait avoir vingt ans et n'avait jamais quitté le village. Quand elle vit la première fois Philippe, elle prit la fuite en criant : « Un djinn[1] ! » Elle n'avait jamais vu un étranger, un Européen.

Elle s'occupait des brebis et passait la plus grande partie de son temps à l'étable. Ici, l'abri est d'abord conçu pour les bêtes. L'homme et sa condition sont secondaires.

Ahmed avait de la peine. Il sortit dehors pour pleurer.

Le soir.

La pièce est éclairée par cinq bougies. Sur le sol rouge-rouille, des nattes et des tapis.

1 Djinn : esprit, petit diable.

El Hadj est assis au fond, les jambes croisées, enveloppé dans un grand burnous de laine grise. Entre ses doigts, un chapelet. Il l'égrène et balbutie des mots. Peut-être des prières.

Autour de lui toute la famille réunie. Ses enfants et petits-enfants, ses neveux et nièces. Tout le monde lui baise la main. Le fils aîné sort la petite boîte à piles enveloppée dans un mouchoir. Le transistor a les piles fatiguées. On entend à peine.

Pleuvra-t-il dans le pays ? La pluie a trois mois de retard. Tout le pays l'attend.

Un signe du regard d'El Hadj. Ahmed éteint le transistor.

Les enfants ont assemblé des petits morceaux de bois; avec une vieille boîte de conserve, ils jouent. Sans faire de bruit, ils s'amusent.

Philippe est assis à côté d'El Hadj. Il lui demande ce que deviendra la vallée sans pluie. Après un long silence, il dit, presque à voix basse : « Nous sommes entre les mains d'Allah. L'eau, c'est la source de la vie. Si Dieu veut nous retirer la vie, il assoiffe la terre. Nous vendrons le bétail, et ceux qui le peuvent partiront dans les plaines ou même dans les villes. Ils iront chercher du travail ou... mendier. Ce sera notre défaite et la fin... »

Déjà la vie de la communauté n'est plus ce qu'elle était. Les jeunes émigrent vers les plaines. Même si ce qu'on appelle « la civilisation moderne » n'a pas réussi à entrer et perturber la communauté, elle menace et attire, de loin, des hauteurs de la ville. El Hadj le sent et le craint.

Les coutumes et lois internes sont gardées intactes, pures et intègres dans l'âme de cet homme. Seront-elles préservées dans l'avenir ? Peut-être...

Cette inquiétude, on la retrouve, on la sent chez d'autres patriarches, dans d'autres villages.

Les tribus Aït Affan sont installées à Amzri.

La vallée est riche.

Les Aït Affan sont connus pour avoir longtemps résisté à la pénétration coloniale. Ils n'ont été soumis que tardivement.

Ici aussi on sent, malgré tout, qu'ils se tiennent à l'écart, en retrait. Fiers et rudes.

Un peu plus loin, au pied de la muraille déchiquetée du Tarkedit, un village, le plus haut dans la vallée : c'est Ifri-n-aït Kherfalla. L'architecture en terre fait sa beauté et sa sobriété. On sent et on voit la trace de la main humaine.

Vous demandez à boire. On vous offre aussi à manger.

Vous faites une halte. On vous propose la chambre, le tapis et le silence pour le repos des os et de l'esprit.

Vers le Sud, vers l'intérieur, en direction du Djebel Tafraout, la lumière en éclat descend lentement sur les roches, les découpe avec la certitude des choses immobiles, éternelles.

Dans les grottes une mémoire haute résiste. On dit que des Portugais sont passés par ce chemin.

Cette lumière a réveillé quelques statues. Elle fut rivière et linceul.

Le versant sud de l'Atlas aurait pu être une prairie. De vallée en piste, de chemin tracé par l'âne en oasis, l'œil suit le parfum de la terre imbibée par la nuit brève. On foule aux pieds des bestioles argentées, des pierres ciselées par le vent. On atteint la porte des plaines.

Ici des jeunes femmes cultivent des roses. Elles les cueilleront au printemps. Un homme des villes viendra les mettre dans des sacs de jute. Il les emmènera à la distillerie d'El Kelaa.

Accrochés à la pente, des tuyas au tronc immense tendent leurs branches aux mains incertaines et aux esprits inquiets. Ces bras noueux abritent des signes balbutiés dans des chiffons. Se préserver contre la folie, contre la maladie. Arrêter les regards malfaisants. Parier sur le mystère de l'indicible. Suspendre une chevelure volée pour conjurer le sort. Accrocher au bout d'un fil de nylon un fer à cheval rouillé ou une main ouverte dessinée sur un morceau de bois.

On dit que ce sont les femmes qui font des tuyas des lieux habités, des demeures pour le mystère, pour le murmure des esprits en suspens au-dessus de l'avenir.

Les hommes en détournent le regard.

Tel est le temps : saison sur saison, nuit sur nuit, jour immobile. L'époque — poids de la durée — s'installe et s'étale dans le corps des hommes. Ils savent que l'époque est leur destin. Ils savent que l'éternité est de cette muraille, épaisse, articulée par la pureté du ciel.

Est-ce les hommes qui vivent à l'écart du pays ou est-ce le pays qui les a ensevelis dans l'oubli ?

Ils sont sur les cimes, avec quelques maisons fortifiées. Ils se mêlent à la terre, la travaillent, la transforment et attendent avec l'orgueil des reclus.

Ighil-n-Tgoudamene, Aït Bou Oulli, Ifri-n-aït Kherfalla, Djebel Anghomer, Ighris, Wawrikt... remparts ou refuge ?

Êtres de pierre et d'argile, secs comme le *tifsi*[1], rudes et rudimentaires comme la *tagoura*[2], les hommes de ce pays ont de cette muraille la fierté, la fermeté et l'allure.

Les paroles sont rares. La folie vient d'un excès de silence.

---

1   Buisson rond et très épineux.
2   Charrue en bois.

Qui est là ?
Un être proche !
Qui est-ce ?
Ne peut être que le Bien !

Ce visage est un miracle.
Traverser le siècle avec cette lumière crue qui défie le temps et soulève les roches.
Est-ce une statue dégagée par des mains du cœur d'un tuya ?
Est-ce un pan de roche où chaque sillon est une ride ?
Ce visage est un pays gardé par des montagnes.
Sur la plaine de la *hamada*, il n'a vu pousser que des cailloux. Alors il émigre à la tête de la tribu et du bétail vers des pâturages d'altitude.

Le *moussem* est une saison, une rupture, une brèche dans le temps. Un hommage à quelque saint. On descend des montagnes vers les plaines. On vend et on achète. On prie et on oublie.
Le moussem est une halte sur le chemin tracé par le désir de l'âme. C'est la rencontre de ces lignes et de ces sillons que laissent derrière elles les étoiles qui nous accompagnent.
On étale les couleurs et les parfums et l'on remonte vers le refuge et l'exil.

Tahar Ben Jelloun

Légendes

1. **Sur le plateau d'Imilchil**
A l'approche de l'Aïd el-Kébir, la grande fête annuelle de l'islam, chaque famille se procure un mouton pour l'immoler en commémoration du sacrifice d'Abraham.

2. **Le Haut Dadès**
A la tombée du jour, hommes et bêtes rentrent au village.

3. **Le Haut Dadès**
En remontant de Boulmane vers les plateaux du Haut Dadès, la végétation et les arbres disparaissent peu à peu pour laisser place à une terre aride, parsemée de buissons.

4. **Sur le plateau d'Imilchil**
Parées de leurs plus beaux bijoux d'ambre et de lourdes mantes de laine rayées, les femmes de la région se rendent à pied au moussem, grand rassemblement religieux qui a lieu une fois l'an — au mois de septembre — aux environs du village des Aït Haddou Ameur, autour du marabout de Sidi Mohamed El Merheni, leur « saint ».

5. **Architecture du passé dans la région d'Imilchil**
Ce village fortifié (ou kasr) a puisé pour son architecture, vieille de deux cents ans, sa matière dans le sol. Le temps des rixes et des razzias a disparu; les fortifications n'ont plus

de raison d'être, et, peu à peu, la pluie et le vent vont rendre à la terre ce qui lui appartient.

6. **Le village des Aït Haddou Ameur**
Sur un plateau entouré de champs apparaît le village des Aït Haddou Ameur. Contrairement à la plupart des villages situés en altitude — qui utilisent la pierre —, il est construit en pisé.

7. **Dans la vallée des Aït Oumdis**
Par groupes, les hommes de la tribu des Aït Oumdis s'éloignent de la vallée pour se rendre sur un terre-plein, à 3 000 m d'altitude. Là, ils vont se réunir pour la prière de l'Aïd el-Kébir.

8. **La prière de l'Aïd el-Kébir**
Après la prière, le taleb (officiant religieux) entreprend la lecture du Coran. Après les accolades entre hommes, chacun regagne sa demeure pour immoler le mouton. Alors commence, dans le Haut Atlas, une longue semaine de festivités.

9-10-11. **Discussion dans la vallée des Aït Oumdis**
Dès qu'un problème se pose dans la vallée — que ce soit un litige concernant un terrain ou l'utilisation d'une tirggwin

(canal d'irrigation des champs), que ce soit une époque de pénurie ou une maladie —, El Ghuj est là pour conseiller, rassurer, aider à trouver une solution.

12.   Les hauts pâturages de Talmest
Les tribus des Aït Atta habitent la montagne et ses contreforts sahariens. Les unes sont sédentaires, les autres semi-nomades. Ces dernières quittent le désert pour se rendre sur les hauts pâturages où elles séjournent six mois, d'avril à octobre, avec leurs troupeaux.

13.   Berger de la région de Talmest
Parfois, un mouton du troupeau s'affaiblit; le berger lui donne alors, dans son écuelle de bois, un fortifiant à base de sucre et d'orge.

14.   Bergère de la région de Talmest
A l'aube, la plupart des femmes sortent les troupeaux pour les conduire aux pâturages. Puis de nombreuses tâches domestiques les attendent.

15.   Femme de la tribu des Aït Atta
Elle porte, comme toutes les femmes de la tribu, un foulard de coton noir et une grande cape de laine aux vives couleurs qu'elle a tissée elle-même. Son bracelet a été fabriqué autrefois par un bijoutier juif (les juifs étaient nombreux dans cette région où, au début du siècle, ils vivaient en parfaite entente avec la population musulmane).

16.   Transhumance dans la région du Djebel Azurki
Ce berger de la tribu des Aït Atta accompagne son troupeau à travers ce haut plateau entrecoupé de profonds canyons, qu'il faut contourner pour se rendre aux pâturages.

17. Troupeau dans la région de Talmest
Chèvres et moutons dévalent les pentes recouvertes de tifsi (petits buissons ronds et épineux, qui servent de bois de combustion, de nourriture pour les chameaux, et qui sont également utilisés pour construire des abris rudimentaires). L'apparence désertique et caillouteuse est ici trompeuse : les animaux y trouvent une herbe particulièrement nutritive.

18. Campement des Aït Atta
A l'aube, une famille de nomades s'apprête à prendre la route; elle rassemble le troupeau et charge les chameaux qui transportent tentes, nourriture et ustensiles.

19. Pâturage de Talmest

20. Pâturage de Talmest
Les femmes, tout en gardant les troupeaux, s'occupent à filer la laine qui servira à la confection de vêtements et de couvertures.

21. Nomades de la tribu des Aït Atta
Pour de longs mois dans les hauts pâturages, les femmes installent un métier exposé à tous vents, sur lequel elles tissent, avec un mélange de poils de chèvres et de chameaux, les pans d'une tente.

22. Source de la Tessaout
D'un contrefort rocheux, l'eau jaillit en trois points, pour former ensuite un torrent tumultueux qui, après avoir irrigué la vallée et actionné les moulins, va se jeter dans la Tessaout, la plus importante rivière du Haut Atlas.

23. Le pâturage de Talmest
En raison de sa vaste superficie, ce pâturage fait l'objet d'une législation rigoureuse, établie en 1933, à l'époque du protectorat français, par les autorités coloniales et les chefs des tribus Aït Atta. Sédentaires et semi-nomades se sont mis d'accord sur des points précis. Ainsi, les premiers autorisent les seconds à occuper le pâturage, avec leurs troupeaux, pendant plusieurs mois. En échange de quoi les semi-nomades, installés sur les contreforts sahariens, donnent une partie de leur récolte de blé ou d'orge aux sédentaires. Si un semi-nomade s'introduit sur le pâturage avant la date fixée par les autorités locales, il devra payer une forte amende ou son troupeau lui sera confisqué.

24. Enfant de la tribu des Aït Atta

25. Préparation de la nourriture pour les chameaux
Cette jeune fille Aït Atta vient de ramasser des rameaux de tifsi. Elle les a réunis en un gros fagot pour les porter sur son dos, et elle s'apprête à les passer au feu afin d'en retirer toutes les épines. Ensuite, elle écrasera les tiges entre deux pierres pour obtenir des fibres qui constituent une excellente nourriture pour les chameaux.

26. Le moussem d'Imilchil
Ce grand rassemblement a lieu chaque année en septembre (cf. lég. 4). Pendant trois jours, hommes et femmes se recueillent sur la tombe du « saint » pour recevoir sa bénédiction. Les femmes — particulièrement les veuves et les divorcées — y viennent dans l'espoir de trouver un mari.
Le moussem, qui a lieu à une croisée des chemins, est par ailleurs l'occasion d'un important marché où les gens des environs se rencontrent et échangent les dernières nouvelles. Ils viennent vendre chevaux, mules, ânes, chameaux, chèvres et moutons.

27.   Voyage au souk
Les habitants des hautes vallées mettent parfois plusieurs jours pour faire l'aller et retour au souk le plus proche.

28.   Le village des Aït Haddidou
Montés sur leurs mules, les paysans reviennent du souk avec leurs tillis (grands sacs de laine) emplis de marchandises.

29.   Le village des Aït Haddidou

30.   Au souk des Aït Mohammed

31.   Le village des Aït Haddidou
Devant les maisons, ces femmes de la tribu des Aït Haddidou font sécher le maïs sur des sacs de toile. Il constituera la nourriture de base pendant l'hiver. Avec le blé, l'orge et le millet, récoltés au cours de l'été précédent, il sera entassé dans une pièce de la maison, l'ikhzin (ou réserve), dont la clef est confiée au plus respecté des membres de la famille.

32.   Enfants du village des Aït Ala
Quotidiennement, en fin de journée, les enfants — qui, par mesure d'hygiène, sont tondus — suivent l'enseignement coranique donné par un fqui.

33.   Enfants de la tribu des Aït Atta
Dès leur plus jeune âge, les enfants sont initiés aux tâches les plus rudes — tels la garde des troupeaux, le creusement des canaux d'irrigation et les travaux des champs.

34. Jeunes filles des Aït Oumdis
Dans la société berbère, les jeunes filles, souvent obligées de se marier dès leur puberté, passent très vite de l'enfance à l'âge adulte. De nombreuses tâches domestiques leur incombent : elles n'ont donc que très peu de temps à consacrer aux jeux de l'adolescence.

35. Jeune fille des Aït Oumdis
Malgré les difficultés de leur vie quotidienne, toutes les femmes consacrent un certain temps à leur toilette : elles se maquillent les yeux au khôl, les joues au carmin, se tressent les cheveux et se parent de bijoux.

36. Jeune fille des Aït Oumdis
Une fois par semaine, les hommes se rendent au souk le plus proche, laissant aux femmes la responsabilité du village. Ici, elles viennent de les aider aux préparatifs du départ.

37. Femmes des Aït Oumdis
Les femmes descendent à la rivière pour y laver le linge et être entre elles.

38. Enfant de la vallée d'El Rhot (oasis du versant sud de l'Atlas).
Cette petite fille vient de ramasser, avec sa mère et ses sœurs, de la luzerne pour le bétail.

39. Jeunes filles de la vallée d'Iboroudine
Par jeu, ces jeunes filles se sont rassemblées sur un rocher pour poser pour le photographe. Toutefois, elles étaient aux aguets et surveillaient le chemin. Lorsque l'une d'elles aperçut un notable du village, elles disparurent aussitôt.

40. La maison d'El Ghuj
El Ghuj, centenaire de la tribu des Aït Oumdis, pose chez lui avec ses fils jumeaux.

41. Discussion entre deux hommes des Aït Kherfalla, après la prière, en fin d'après-midi.

42. Taghia (gorges)
Profondes de plusieurs centaines de mètres, ces gorges sont l'unique voie d'accès d'une vallée à une autre lorsque la neige bloque les cols.

43. Crue de la Tessaout
Les habitants des Aït Ala sont habitués à de fortes crues qui reviennent fréquemment. Celle de 1979 (sur la photo) fut particulièrement meurtrière. En quelques minutes, la rivière, grossie par les eaux de ses affluents, emporta les ponts et les moulins, inonda les champs et isola les villages. Il fallut attendre une dizaine de jours pour traverser à nouveau la Tessaout.

44. Pâturage de Talmest
A leur arrivée au pâturage, les nomades et leur famille installent leurs tentes à proximité d'enclos de pierres sèches où l'on rentre moutons et chèvres pendant la nuit.

45. Le village de Magdaz, dans une vallée adjacente à celle de la Tessaout
Ce village a la particularité de posséder des maisons à plusieurs étages. Construites en pierre et en terre, elles peuvent atteindre quatre ou cinq étages. Certaines d'entre elles sont des tigherm, demeures fortifiées, édifiées à une époque de troubles et de razzias.

46.   Nomade de la tribu des Aït Atta

47.   Noyer de la vallée de la Tessaout
Les noyers représentent une richesse importante pour les montagnards. Rares et très appréciées dans les villes, les noix constituent la seule denrée monnayable et possèdent une réelle valeur marchande. Après la récolte, les noix sont transportées par mules chez des commerçants installés en bout de piste.

48.   Vallée située sur le versant sud de l'Atlas
Au mois d'octobre, après les labours, les premières neiges font leur apparition sur les cimes.

49.   Le village d'Amassine construit sur les bords d'une rivière
Comme la plupart des villages du Haut Atlas, il se situe loin des routes, et on ne peut y accéder qu'à pied ou à dos de mulet.

50.   La récolte des dattes
Elle a lieu au mois d'octobre dans les oasis situées dans les vallées du versant sud de l'Atlas. Les dattes seront ensuite vendues dans les souks à l'intérieur du pays.

51.   Vallée de la Tessaout, au mois de septembre
La rivière est bordée de bouleaux et de genêts en fleurs.

52.   Femme du village d'Ichbaken

53.   Jeune garçon de la tribu des Aït Ala
Dans la communauté berbère, la naissance d'un garçon est mieux acceptée que celle d'une fille. Le père attache beaucoup d'importance à l'éducation de son fils, qui un

jour lui succèdera. L'enfant mâle est la fierté du père et représente tous ses espoirs. Contrairement à la fille qui, par son mariage, est appelée à quitter le village, le garçon perpétuera les traditions et gèrera les biens de la famille.

54. El Hadj des Aït Ala
Poussé par sa foi religieuse, cet homme quitta un jour sa vallée pour se rendre à La Mecque. Je l'ai rencontré quelques années après son pèlerinage. Agréable compagnon, il fut aussi, pour mon travail, un indispensable collaborateur : il accepta de m'accompagner plusieurs mois dans mon errance à travers le Haut Atlas.

55. Village de la région du Tiz'in Test.

56-57. Fête de la circoncision dans le village de Wawrikt

Au nom de Dieu clément et miséricordieux
Je t'en prie, père de l'enfant
Invite-nous pour cette nuit de fête
Et tue un mouton sans cornes
Pour notre dîner, ô père de l'enfant.
(Chant urar de circoncision, Aït Arba.)

La circoncision a lieu pendant la semaine de festivités qui suit l'Aïd el-Kébir. Les hommes s'installent dans la cour intérieure d'une maison du village, dont l'accès est interdit aux femmes. Tout l'après-midi, celles-ci restent entre elles sur la terrasse ou à l'intérieur de la maison. La nuit venue, elles ont le droit de descendre rejoindre les hommes pour danser l'arouach.

58-59. Fête dans la vallée de Magdaz
Dans le courant de l'été, après la moisson, les gens de la vallée se réunissent pour fêter les récoltes de blé et d'orge et danser l'arouach. Le matin, des coups de feu éclatent dans la vallée : de tous côtés, les habitants des villages dévalent les sentiers dans un chatoiement de couleurs et dans des nuages de poussière. Les détonations et les you-you des femmes se répondent de part et d'autre de la vallée. Tout le monde se rassemble ensuite sous trois énormes noyers, près d'un champ de maïs. Les hommes arrachent quelques plants pour improviser une aire de danse, tandis que les femmes s'assoient à l'ombre des arbres, au milieu des rires, des bavardages et des cris d'enfants. Elles portent des lizar (robes aux couleurs vives), pailletés d'or et d'argent, et de somptueuses coiffes ornées de bijoux. Un peu à l'écart, le cheik et les notables des villages, vêtus de djellaba blanches, s'installent sur des tapis. Ils portent le taharamt, long turban blanc, soigneusement enroulé autour de la tête. Au premier son des bendirs (tambourins faits d'une peau de chèvre tendue sur un cercle de bois), un cercle de chanteurs se forme autour des musiciens. Alors commencent de longues mélopées où les voix aiguës des femmes répondent aux voix graves des hommes. Leurs chants évoquent des images de la nature ou de la vie quotidienne. Sur ce rythme lent, les hommes se balancent, épaule contre épaule, tandis que les plus jeunes femmes entrent timidement dans la danse. Aux dernières lueurs du soleil, les tambourins cessent, l'arouach est finie. Sur le chemin du retour, les hommes se rassemblent par petits groupes et, saisissant leurs mukahla (vieux fusils à pierre), ils s'élancent dans une danse guerrière : ils courent en formant de larges cercles, font tournoyer leurs fusils au-dessus de leurs têtes, sautent et tournent sur eux-mêmes... Leur danse s'achève dans une détonation générale, le baroud, à laquelle se mêlent les cris des femmes. Le mérite revient au groupe d'hommes qui, en déchargeant ses fusils, ne laisse entendre qu'un seul coup de feu.

60. Circoncision au village d'Engelz
Parées de leurs plus beaux bijoux — monnaies d'argent, émaux et colliers d'ambre —, les femmes de la famille conduisent l'enfant, qui doit faire son entrée dans le monde des hommes, auprès du maellem pour qu'il le circoncise.

L'opération se passe à l'abri des regards, sous une grande couverture blanche tendue par les hommes.

61.   Ciconcision au village d'Engelz
Exceptionnellement, huit petits garçons vont être circoncis le même jour. La coutume veut que des œufs, symboles de fécondité, soient lancés parmi les invités après la circoncision. Ensuite, les mères font trois fois le tour du village avec leur enfant.

62.   Dans la maison d'El Ghuj
Une des femmes de la maison prépare des ragoûts à base de viande, de légumes et d'épices dans de grands plats en terre cuite, surmontés d'un couvercle conique, appelés tajin. Ils mijoteront à feu doux sur des kanoun (braseros) en terre.

63.   La préparation du couscous
Dans la pièce qui leur est réservée, les femmes de la maison d'El Ghuj s'affairent à la préparation du couscous. Une fois passé au tamis, il est cuit à la vapeur dans un plat en terre.

64.   Femmes derrière un métier à tisser
A l'approche de l'hiver, lorsque les activités extérieures sont ralenties, les femmes s'adonnent au travail de la laine — cardage et tissage sur des métiers rudimentaires.

65.   Enfants du village de Tistouitine
Cette petite fille rentre de la forêt où elle a ramassé le bois avec sa mère.

66. El Ghuj et ses petits-enfants
El Ghuj a vingt-deux petits-enfants auxquels il a donné une éduction stricte et rigoureuse. Il leur a appris le respect des aînés et des pures traditions berbères.

67-68-69. La préparation du pain
Les grains de céréales sont triés et séchés au soleil, avant d'être amenés au moulin pour y être broyés.

70. Nomade Aït Atta, originaire du Djebel Sahro

71. Méandres du Dadès
Pour gagner les pâturages, les nomades et leurs familles doivent traverser une zone montagneuse déserte et aride où serpente la rivière Dadès.

72. Dernière sortie des troupeaux avant les très fortes chutes de neige hivernales.

73. Retour de l'azib
Ce berger ramène son mouton de l'azib (abri de pierres sèches utilisé pendant les transhumances) où il a passé plusieurs semaines.

74. Au village de Tistouitine
Les journées d'hiver s'écoulent lentement. Les habitants se réfugient autour d'un feu central, dans la pièce adjacente à la cuisine et à l'étable. Les réserves de nourriture sont juste suffisantes pour tenir jusqu'à la fin de l'hiver.

75. Le village de Tistouitine
La neige commence à tomber sur le village. Dans quelques jours, elle atteindra le premier étage des maisons.

76. Au village de Tistouitine
Cet homme profite d'une accalmie pour débarrasser la neige de son toit à l'aide d'un grand râteau en bois. Ici, à plus de 2 000 mètres d'altitude, les maisons sont construites en pierres sèches (la terre est précieusement gardée pour les champs). Ces constructions anciennes peuvent atteindre parfois quatre, cinq ou même six étages.

77. Au village de Tistouitine
Dès les beaux jours, les troupeaux sortent des étables et partent à la recherche des premières herbes. Les corvées d'eau reprennent : cette jeune fille part à la source la plus proche pour y remplir sa jarre qu'elle remontera ensuite sur son dos jusqu'au village.

78. Un azib
Pendant la saison d'été, les troupeaux partent en transhumance dans les pâturages et ne redescendent qu'aux premiers froids. Des familles quittent leur village pour les accompagner et s'installent pour trois mois dans de vastes azib où le bétail occupe la quasi-totalité de l'abri.

79. Femme de la tribu des Aït Atta, dans la région du Djebel Azurki
Pendant six mois, cette femme sort le troupeau de son enclos de pierre, en vérifiant tous les jours le nombre de bêtes.

80. Retour au village de Tistouitine
Enveloppé dans une épaisse djellaba de laine, cet homme quitte l'azib pour regagner à pied son village.

5

9

10

13

15

16

17

19

21

23

29

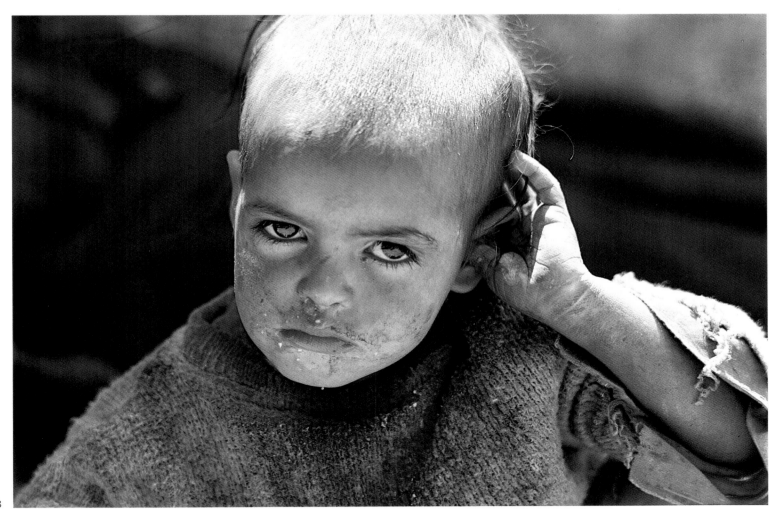

33

48

49

51

53

54

67

68

69

71